Sylvie Benoit

Je révise
avec mon enfant

Français

Premier cycle
1re année

TRÉCARRÉ
⑩ QUEBECOR MEDIA

Catalogage avant publication de la Bibliothèque nationale du Canada

Vedette principale au titre :

Je révise avec mon enfant : français : 1re (-6e) année

Pour les élèves du niveau primaire.

ISBN 2-89568-216-X (v.1)
ISBN 2-89568-217-8 (v.2)
ISBN 2-89568-218-6 (v.3)

1. Enseignement primaire – Participation des parents. 2. Français (Langue) – Problèmes et exercices – Ouvrages pour la jeunesse. I. Benoit, Sylvie, 1959-

LB1048.5.J422 2003   371.3'028'1   C2003-941654.2

Composition et mise en pages : Infoscan Collette
Conception et réalisation de la couverture : Cyclone design communications
Illustrations : Marthe Boisjoli
Révision linguistique : Marie Rose de Groof
Correction d'épreuves : Claire Morasse

Note : L'auteure tient à remercier les auteurs de *Ami-mots 1* ainsi que Les Éditions du Trécarré qui lui ont permis d'utiliser certains exercices de l'ouvrage précédemment mentionné.

Nous reconnaissons l'aide financière du gouvernement du Canada par l'entremise du Programme d'aide au développement de l'industrie de l'édition (PADIÉ) pour nos activités d'édition ; du Conseil des arts du Canada; de la SODEC ; du gouvernement du Québec par l'entremise du Programme de crédit d'impôt pour l'édition de livres (gestion SODEC).

ISBN 2-89568-216-X

Dépôt légal 2003
Bibliothèque nationale du Québec

Éditions du Trécarré,
division de Éditions Quebecor Média inc.
7, chemin Bates
Outremont (Québec)
H2V 4V7

TABLE DES MATIÈRES

MOT DE L'AUTEURE

L'intérêt manifesté par les parents à l'égard des nouvelles connaissances de leur enfant n'est plus à démontrer. Ce sont eux qui ont applaudi avec enthousiasme à ses premiers pas, à ses premiers mots et, de tout ce savoir, ils sont en grande partie responsables. Pourtant, ils doivent désormais passer le flambeau. Après la maternelle, voici la première année.

Dans tout le processus d'apprentissage scolaire, le parent joue un rôle irremplaçable auprès de l'enfant. L'enseignant aussi, il est vrai. Cependant, l'enseignant possède le matériel requis pour instruire l'enfant durant tout son cheminement. Le parent, quant à lui, dispose de peu de moyens en ce sens.

C'est donc en pensant aux parents que nous avons conçu ce guide. Il n'a pas la prétention d'être un manuel scolaire, et ce n'est pas son but. Nous avons voulu qu'il soit un auxiliaire pour les parents. Notre plus grand souhait est de le voir utilisé comme complément efficace au travail scolaire. Bien que ce guide soit conforme aux normes fixées par le ministère de l'Éducation, il ne remplace pas le matériel de classe, aussi faudra-t-il parfois recourir à ce dernier.

Quelques conseils...
Posez des questions à brûle-pourpoint sur des choses que l'enfant vous dit avoir apprises en classe... et ne manquez pas de vous émerveiller devant tant de savoir. Votre enfant devra entreprendre d'écrire sa langue et cet apprentissage le mettra en contact avec des mots nouveaux. Incitez-le à utiliser fréquemment ces mots qui passeront ainsi sans effort dans son vocabulaire courant.

Plus votre enfant progressera dans son année scolaire, plus il acquerra de notions et plus étendu sera le réseau de connaissances ainsi tissé. Les pédagogues le savent : un édifice en construction doit reposer sur des fondations solides si l'on veut pouvoir bâtir en hauteur. Il est donc important de vérifier si les connaissances de base sont bien maîtrisées avant qu'il n'en apprenne d'autres. Rappelez-vous enfin qu'un apprentissage ne se fait pas toujours en une fois. Laissez à l'enfant le temps d'oublier ce qu'il a appris. Lorsque la matière lui sera de nouveau présentée, il aura acquis plus de maturité et prendra mieux conscience de ce que l'on attend de lui.

En résumé, soyez patient, attentif aux efforts de l'enfant, félicitez-le quand il le mérite et ne brûlez pas les étapes...

Comment utiliser ce livre

Cet ouvrage renferme les principaux savoirs essentiels du programme de français pour la 1re année. Pourquoi pas tous? Parce que nous n'espérons pas que votre cuisine se transforme en salle de classe. Pendant la journée, votre enfant va à l'école et développe des compétences et des habiletés. Le soir venu, il ne tient pas à retourner en classe, mais les quelques exercices faits sous votre direction vous apprendront s'il a compris cette matière ou s'il a besoin d'aide.

Vos explications, peut-être, au grand désespoir de votre enfant, risquent, dans la manière, de différer de celles du professeur : rassurez-vous et persistez car cette diversité d'approche de l'apprentissage deviendra vite un grand atout pour votre enfant.

Ce livre comprend trois parties: lecture, écriture et communication orale.

Chacune des parties se divise en séries d'activités, pour un total de 10.

Au début de chaque série d'activités, une page qui vous est réservée indique les **notions révisées**, les **attentes** ainsi que des **moyens** pour réussir les activités. Cette même page compte également un **conseil pratique** de l'auteure soit sur un sujet d'ordre général, soit sur des notions contenues dans les exercices qui suivent.

Avant de vous «lancer» dans les exercices avec votre enfant, vérifiez d'abord s'il a reçu cet enseignement spécifique en classe. Ce n'est qu'à cette condition qu'il sera apte à **réviser** en votre compagnie.

Enfin, si vous doutez de la justesse des réponses pour certains exercices ou si la terminologie utilisée ne vous est pas familière, vous pouvez recourir au corrigé et au lexique placés à la fin de l'ouvrage.

En outre, vous pourrez, par le biais de cet ouvrage, aider votre enfant à développer ce que le ministère de l'Éducation appelle «les compétences transversales» de votre enfant et qui occupent une place importante au sein du nouveau programme. Ces compétences transversales permettront à votre enfant de performer dans un domaine au moyen de connaissances acquises dans différents autres domaines. Par exemple, pour bien résoudre un problème de mathématique, il est important de savoir compter, mais savoir lire le problème est tout aussi important. C'est un peu schématique, mais en résumé le programme veut parvenir à ce que l'enfant mobilise de façon efficace l'ensemble de ses ressources *à travers* les divers domaines d'apprentissage.

Sylvie Benoit

C'est l'alphabétisation d'immigrants allophones qui a d'abord amené Sylvie Benoit dans le domaine de l'enseignement. Par la suite, elle a enseigné le français comme langue maternelle et langue seconde, et l'espagnol comme langue maternelle à des adultes de tous âges. L'aînée de ses deux enfants faisant son entrée scolaire et n'ayant rien sous la main pour la supporter et lui venir en aide en cas de difficulté, elle a écrit et conçu ce guide afin de répondre à ce besoin.

FRANÇAIS

LES ATTENTES GÉNÉRALES DU PROGRAMME DE FRANÇAIS EN 1re ANNÉE

Ce programme comporte 3 volets étroitement liés.

1. La lecture

- Lire de courts textes de différentes formes (conte, poème, texte littéraire, affiche).
- Apprendre à reconnaître les termes fréquemment utilisés dans différents contextes.
- Savoir décomposer les mots nouveaux (les épeler, les découper en syllabes) et recourir au contexte pour les comprendre.
- Connaître et se servir de la ponctuation et des liens grammaticaux pour comprendre la phrase.
- Observer des exemples de régularité (le genre, le nombre).

2. L'écriture

- Reproduire des mots, puis des phrases et enfin de courts textes.
- Apprendre et respecter l'orthographe des mots.
- Apprendre à ponctuer.
- Utiliser les termes corrects.
- Connaître l'orthographe d'usage des mots à écrire.

3. La communication orale

- Exprimer ses sentiments.
- Décrire et comparer des réalités.
- Relater une activité.
- Poser des questions en vue d'obtenir de l'information.

ACTIVITÉ 1

FRANÇAIS

Notions révisées

- L'alphabet
- Les sons et les voyelles : *a, e, i, o, u, é, è*
- Les mots-outils *un, une, le, la, c'est*
- Les couleurs *bleu, rose, rouge, blanc*

ATTENTES DE FIN DE CYCLE	STRATÉGIES
Écouter, observer et reconnaître des sons.	Mettre en relation le son que l'enfant lit et la voyelle qu'il voit.
Identifier et reproduire les voyelles.	Repérer les voyelles dans un mot.
Étudier et reproduire certains petits mots (les mots-outils).	Lire des phrases qui contiennent des mots-outils.
S'exercer à lire et à écrire.	Mettre en relation le mot entendu et l'image vue.

CONSEIL PRATIQUE

L'enfant doit rapidement développer son habileté à lire, c'est-à-dire regarder de moins en moins les images et de plus en plus les lettres (les mots). Vous pouvez fabriquer un cache en carton pour l'aider à prendre cette habitude. Progressivement, couvrez l'image à l'aide du cache et demandez-lui de lire le mot.

Les lettres minuscules

a b c d e f g

h i j k l m n

o p q r s t u

v w x y z

1. Voici des sons : a e i o u é è
Entoure ceux que tu connais. Écris ces sons.

a _____

e _____

i _____

o _____

u _____

é _____

è _____

2. Relie les images aux lettres que tu entends.

a

e

i

o

u

é

è

fée

fève

chat

ruche

livre

dos

Il te reste une lettre, laquelle ? ——— C'est une lettre

secrète du français. Tu l'écriras très souvent mais tu ne l'entendras pas toujours.

3. Entoure tous les **o**.

e o c o d q p o t g o r b l o a l w o è y l

4. Écris la lettre **o**.

5. Entoure tous les **é**.

e ê c é a t p e é h a é d m o a i é a è u r

6. Écris la lettre **é**.

7. Nomme les images à voix haute. Entoure la lettre **i** des mots écrits au-dessous.

lit   nid   livre   midi

T R U C

L'enfant doit prendre conscience que chaque fois qu'il prononce un mot contenant le son <u>i</u>, il retrouvera cette lettre dans le mot. Il est souvent profitable d'accentuer la syllabe porteuse du son.

8. Lis en t'aidant de l'image.

un lit   le lit   c'est un lit

le livre   un livre   c'est le livre

un nid   c'est un nid   le nid

9. Nomme les images à voix haute. Entoure les **mots** qui contiennent la lettre **a**.

porte   chat   girafe   papillon   toupie

10. Nomme les images à voix haute. Entoure la lettre **u** des mots écrits au-dessous.

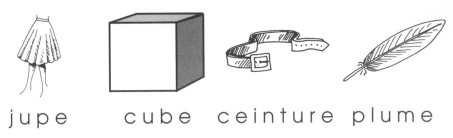

jupe   cube   ceinture   plume

11. Nomme les images à voix haute. Entoure les **mots** où tu entends la lettre **u**.

allumette   tomate   autruche   tortue

12. Lis en t'aidant des images.

une tomate   c'est une tomate
la tomate

une tortue   la tortue
c'est une tortue

c'est un chat   un chat
le chat

13. Nomme les images debout à voix haute.
Entoure la lettre o des mots écrits au-dessous.

c a n o t   b o b i n e   p e r r o q u e t

c a r o t t e   p i p e

14. Nomme les images à voix haute. Entoure la
lettre a des mots écrits au-dessous.

t a b l e   c a m i o n   c h i e n

t o m a t e

p o u p é e

15. Nomme les images. Ajoute la lettre manquante à l'intérieur des mots écrits au-dessous.

c ___ squette

l ___ vre

poup ___ e

ch ___ t

toup ___ e

n ___ d

can ___ t

tort ___ e

bob ___ ne

pl ___ me

p ___ pillon

c ___ be

perr ___ quet   sold ___ t   j ___ pe

16. Lis les phrases suivantes.

  C'est une toupie **rouge**.

  C'est une jupe **rose**.

  C'est un cube **bleu**.

  C'est un papillon **blanc**.

17. Lis les mots sous chaque dessin. Colorie les dessins de la couleur indiquée.

      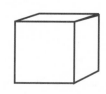   

rose   bleu   blanc   rouge

18. Colorie l'image que représente chaque phrase.

C'est une jupe rouge.

C'est une toupie rose.

C'est un cube bleu.

C'est un papillon bleu.

19. Copie les mots suivants de ta plus belle écriture.

rouge

rose

bleu

blanc

ACTIVITÉ 2

FRANÇAIS

Notions révisées

- L'alphabet
- Les consonnes *t*, *b*, *p*, *m*
- Les syllabes
- Le mot-outil *voici*
- Le genre

ATTENTES DE FIN DE CYCLE	STRATÉGIES
Introduire la notion de mot.	Compléter des mots en leur ajoutant des lettres.
	Découper les mots en syllabes.
Développer la mémoire.	Mémoriser une comptine.
S'exercer à lire et à écrire.	Repérer les lettres dans un mot.
Introduire la notion de genre.	Utiliser les mots-outils *un*, *une*, *le*, *la*.

CONSEIL PRATIQUE

Lorsque vous lisez un exercice à votre enfant, assurez-vous qu'il observe bien ce que vous lisez en pointant du doigt le mot que vous êtes en train de lire. Si, malgré cela, il semble éprouver des difficultés, ralentissez le débit de la lecture et soulignez du doigt chacune des voyelles prononcées. Articulez clairement la voyelle pointée, mais sans ralentir exagérément la lecture.

1. Relie les mots aux images.

girafe

papillon

pupitre

canot

tortue

carotte

2. Complète les mots en écrivant la ou les lettres qui manquent.

c ___ not   t ___ rtue   c ___ r ___ tte

p ___ pitre   g ___ r ___ f ___

3. Voici l'alphabet, le connais-tu ?

a b c d e f g h i j k l m n o p q r s t u v w x y z

Entoure toutes les lettres que tu connais. Copie-les ci-dessous.

_____

_____

_____

4. Lis les mots suivants. Entoure la première lettre de chacun.

bobine    ballon

bouton   bûche

banane   bateau

brebis   balai

balle   biberon

bougie

5. Écris le déterminant **un** ou **une** devant les mots suivants.

_____ bobine   _____ bateau

_____ ballon   _____ brebis

_____ bouton   _____ balai

_____ bûche   _____ balle

_____ banane   _____ bougie

T R U C

Si votre enfant ne perçoit pas le genre des mots, mettez-le sur la piste : « Quand tu dis "la" devant un mot, tu utilises aussi "une" pour ce même mot parce que ce mot est du genre féminin ; c'est la même chose avec "le" et "un" pour un mot du genre masculin. »

6. Écris le déterminant **la** ou **le** devant les mots suivants.

_____ bobine   _____ bateau

_____ ballon   _____ brebis

_____ bouton   _____ balai

_____ bûche   _____ balle

_____ banane   _____ bougie

7. Connais-tu la lettre **b** comme dans « bobine » ? Copie-la sur la ligne suivante.

b _____

8. Unis la lettre **b** et chacun des sons que tu connais déjà. Lis-les et copie-les.

ba _____

be _____

bi _____

bo _____

bu _____

bé _____

bè _____

9. Apprends la comptine.

Une aiguille
Je te pique
Une épingle
Je te pince
Une agrafe
Je t'attrape

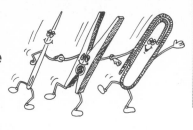

10. Lis les mots suivants.

agrafe   épingle   pince   aiguille   pique   attrape

11. Découpe les mots suivants de la même façon que tu les prononces. Écoute attentivement l'exemple.

Exemple : a/gra/fe

épingle   pince   pique   attrape

12. Voici la première partie de la comptine. Combien de mots a-t-elle ?

Une	aiguille	je	te	pique

Selon toi, qu'est-ce qu'un **mot** ?

13. Lis et copie les mots de la dernière ligne de la comptine.

_____

_____

Combien de mots comptes-tu ? _____

14. Lis les mots. Entoure ceux qui contiennent la lettre **b**.

cheval   brebis

hibou   abeille

Quel mot n'est pas entouré ?

_____

_____

15. Colorie le cheval en brun, l'abeille en rouge, la brebis en bleu et le hibou en rose.

16. Lis les phrases suivantes. Écris le mot manquant.

a) Le _____ brun est parti à l'étable.

b) L'_____ vole sous la table.

c) Le _____ rose boude à l'école.

d) La _____ bleue dort dans l'étable.

17. Relie les mots suivants aux images correspondantes.

hibou

étable

cheval

brebis

18. Connais-tu la lettre **m** comme dans « maman » ?
Entoure les mots qui contiennent la lettre **m**.

macaronis   pomme

chat   matin

ami   vache

19. Utilise les mots de l'exercice précédent pour
terminer les phrases suivantes.

a) Mario mange une _____ .

b) Mon _____ boit du lait.

c) Je joue avec mon _____ à l'école.

d) Maman prépare des _____ .

e) Le _____ , je déjeune.

f) Il y a une _____ dans le pré.

20. Combine la lettre **m** et les sons **a e i o u é è**.

m + a   ma _____

m + e   me _____

m + i   mi _____

m + o   mo _____

m + u   mu _____

m + é   mé _____

m + è   mè _____

21. Choisis la syllabe qui convient.

_____ mme

po   pa   pé

_____ man

mo   po   ma

_____ teau

da   ba   do

_____ bine

po   ba   bo

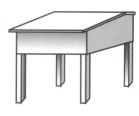

_____ pitre

pu   pi   do

22. Nomme à haute voix ces images. Entoure
l'image si tu prononces le son **t**.

maman   timbre   table

lunettes   tomate

23. Unis deux parties pour former un mot. Écris ce
mot.

toma	tue	
pu	tate	
pa	pis	
tor	pitre	
ta	te	

24. Lis les mots ci-dessous. Utilise-les pour terminer les phrases.

table   patin   tomate   cravate   toupie

C'est une _____.

Voici une _____.

C'est la _____ de papa.

Voici un _____.

C'est une _____.

25. Lis les mots. Souligne le **t et la lettre** qui l'accompagne pour former une syllabe.

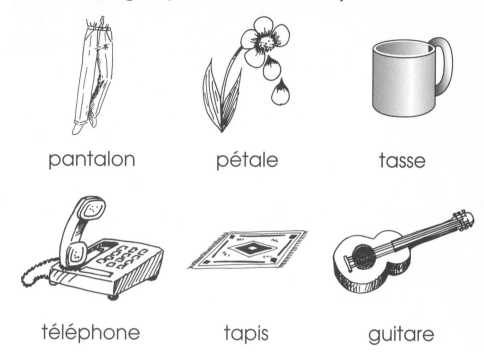

pantalon pétale tasse

téléphone tapis guitare

ACTIVITÉ 3

FRANÇAIS

Notions révisées

- L'alphabet
- Les consonnes *d, f, l* et *s*
- Le *e* muet
- Les syllabes
- Le genre
- Le nombre

ATTENTES DE FIN DE CYCLE	STRATÉGIES
Introduire la notion de phrase.	Lire des mots et des phrases.
Introduire la notion de nombre.	Utiliser le déterminant *des*.
Développer la mémoire.	Mémoriser deux comptines.
S'exercer à lire et à écrire.	Lire des syllabes. Compléter des mots par des syllabes appropriées. Identifier le e muet à la fin de mots déjà lus.

CONSEIL PRATIQUE

À ce stade, votre enfant fait des merveilles. Il s'initie au concept de la lecture. Encouragez-le à lire silencieusement. Rappelez-vous que cela se fait de façon progressive. Quand il lit, posez-lui quelques questions sur le texte pour vérifier son niveau de compréhension.

1. Connais-tu la lettre **d** ? Récite l'alphabet et arrête-toi à la lettre **d**. Entoure les mots qui **contiennent** la lettre **d**.

pomme domino bulle pédale

bobine dé dîner

2. Entoure les **d** parmi les lettres suivantes.

d p d b q p
b p d p b

3. Apprends la comptine.

Qui se dandine ?
C'est le dindon dodu
Quand ses deux dindonneaux
Font dodo

Cherche les intrus : quels mots **ne** sont **pas** mentionnés dans la comptine ?

dindon bonbon dinde cousines
dîner dindonneaux pincée

4. Écris un ou une devant les noms d'animaux.

_____ dindon   _____ brebis

_____ cheval   _____ tortue

_____ dinde   _____ papillon

5. Souligne les mots de l'exercice précédent devant lesquels tu pourrais écrire le. Ce sont des mots masculins.

6. Entoure le mot qui correspond à l'illustration.

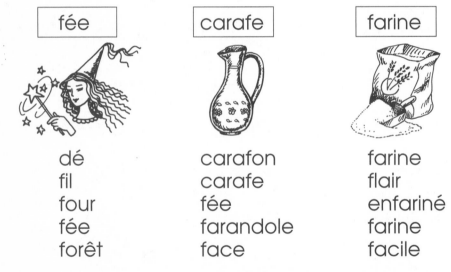

fée	carafe	farine

dé   carafon   farine
fil   carafe   flair
four   fée   enfariné
fée   farandole   farine
forêt   face   facile

7. Relie chaque mot au dessin qui le représente.

fil
forêt
pichet
fumée
farine
fée

8. Lis les deux lignes suivantes.

fa fi fé fè fo fu fa fe fu fé fi fa fo fé fu

de le du la c'est un de la une

**9. Lis les mots suivants et encercle ceux qui com-
mencent par la lettre l.**

lion	livre
ballon	lampe
lapin	losange
tulipe	étable

> **T R U C**
>
> Donner des consignes
> sous différentes for-
> mes favorise l'appren-
> tissage de la langue.
> Si l'enfant ne com-
> prend pas la consigne,
> il vaut mieux para-
> phraser et, ensuite, lui
> relire la consigne.

Combien de mots ne sont pas encerclés ? _____

**10. Lis les mots suivants. Souligne ceux qui contien-
nent la lettre l.**

cheval   blanc
lit   tortue
balle   tomate
bulle   plume
pédale   chat
girafe   nid
allumette   bleu
table   carotte

11. Écris un ou une devant les mots suivants.

_____ cheval _____ allumette

_____ lit _____ table

_____ balle _____ blanc

_____ bulle _____ plume

_____ pédale _____ bleu

12. Lis la comptine. Réponds aux questions.

Il pleut, il mouille
C'est la fête de la grenouille
Quand il ne pleuvra plus
Ce sera la fête de la tortue

a) Ce sera la fête de qui quand il ne pleuvra
plus ?

_____
_____
_____

b) Quand il mouille, de qui est-ce la fête ?

_____
_____
_____

**13. Lis les mots de la page suivante. Entoure ceux
qui se terminent par un e muet (que tu ne
prononces pas).**

mouille	fée	tortue
farine	dé	dîner
balle	bougie	fête

14. Quelles syllabes manquent ci-dessous ? Entoure les bonnes syllabes, puis écris-les.

pa _____ llon

po
pa
pi

_____ rine

ré
ra
fa

_____ mace

li
lo
lé

pé _____ le

pa
ba
da

15. Écris les lettres manquantes dans l'alphabet que voici.

___ ___ ___ c ___ ___ f g h ___ j k ___ m

n ___ p q r s t ___ v w x y z

Maintenant, essaie d'écrire tout seul les lettres de **a** à **f**.

16. Lis la comptine.

Le pou a triché
La puce en colère
Passe par-derrière
Et lui tire les cheveux
En disant : « Mon vieux
Tu n'es qu'un pouilleux ! »

Combien de mots commencent par la lettre p

dans la comptine ? _____

Lis les mots et observe attentivement les dessins suivants.

un tricheur

des tricheurs

une puce

des puces

Que remarques-tu ? Sais-tu pourquoi on ajoute un **s** à **tricheur** et à **puce** ?

Quand on parle de plus d'une personne, de plus d'un animal ou de plus d'une chose, on écrit un **s** à la fin du mot. T'en souviendras-tu ?

17. Essaie de remplir tous les espaces, puis lis l'alphabet complet.

___ ___ ___ d ___ ___ g h ___ j k ___ m

n ___ ___ q r ___ t ___ v w x y ___

Bravo !

18. Dans l'alphabet, quelle lettre vient après le **t** ?

_____

_____

Avant le **t** ? _____

19. Lis les mots suivants. **Souligne** les mots féminins (la) et **entoure** les mots masculins (le).

la salle   le silo   le sofa

le sel   le sabot   la sève

le soja   le sol   la salade

le sud   le souper   le sourire

la soupape   le soulier   la soie

20. Remplace le **b** par un **s**, tu obtiendras un autre mot.

bol   _____ ol

belle _____ elle

balle _____ alle

ACTIVITÉ **4**

FRANÇAIS

Notions révisées

- L'alphabet
- La majuscule
- Les consonnes *k, n, r*
- Les graphies du son *o*
- La majuscule et le point dans la phrase

ATTENTES DE FIN DE CYCLE	STRATÉGIES
Introduire la ponctuation par le point final dans la phrase.	Isoler des mots dans une phrase en utilisant le point quand c'est nécessaire.
Connaître l'orthographe avec le son **o**.	Faire des exercices de lecture et d'écriture avec les différentes graphies du son **o**.
Introduire le code grammatical (la majuscule).	Isoler des mots dans une phrase en utilisant la majuscule quand c'est nécessaire.
Développer la mémoire.	Mémoriser une chanson.
S'exercer à lire et à écrire.	

CONSEIL PRATIQUE

L'orthographe n'est pas facile, elle est même parfois incohérente. Pourquoi, en effet, écrit-on *artichaut*, avec un *t* et *landau* sans *t*? Parce que c'est ainsi et pas autrement. Il faut l'apprendre telle qu'elle est.

Les lettres majuscules

A B C D E F G

H I J K L M N

O P Q R S T U

V W X Y Z

1. Lis la chanson suivante.

Au clair de la lune

Au clair de la lune,
mon ami Pierrot,
prête-moi ta plume
pour écrire un mot.
Ma chandelle est morte.
Je n'ai plus de feu.
Ouvre-moi ta porte,
pour l'amour de Dieu.

a) Copie exactement le mot qui vient après **mot**.
Copie exactement le mot qui vient après **morte**.
Copie exactement le mot qui vient après **feu**.

_____   _____   _____
_____   _____   _____
_____   _____   _____

b) La première lettre de ces mots est une
majuscule. Quels autres mots commencent
par une **majuscule** et se trouvent à l'intérieur
d'une phrase ?

_____   _____
_____   _____

> Une phrase est un ensemble de mots
> qui commence par une lettre majuscule
> **et** se termine par un point.

c) Combien de phrases comptes-tu dans la chanson **Au clair de la lune** ? Pour le savoir, souligne la **majuscule** et le **point** de chaque phrase. Attention ! Un mot qui commence par une majuscule ne représente pas toujours

le début d'une phrase. _____

2. Relis attentivement la chanson. Sépare correctement les mots ci-dessous. Copie les phrases. Utilise des majuscules lorsque c'est nécessaire et termine les phrases par un point.

auclairdelalunemonamipierrot

_____

_____

prête-moitaplumepourécrireunmot

_____

_____

machandelleestmortejen'aiplusdefeu

_____

_____

ouvre-moitaportepourl'amourdedieu.

_____

_____

3. Dans chaque colonne, entoure le mot identique au modèle.

| bravo | jaune | chapeau | tortue |

bateau	jumeau	chameau	tortue
drapeau	jaune	peau	râteau
rigolo	judo	chapeau	sortie
bravo	jeune	château	mauve

4. Relie le mot à l'image.

pomme   sabot

domino   oiseau

escabeau   ciseau

artichaut   landau

pot   rideau

marteau   guimauve

auto   autruche

5. Classe les mots de l'exercice n° 4 d'après l'orthographe du son **o**.

o	au	eau

6. Lis les mots suivants dans l'ordre (de gauche à droite) et dans le désordre.

eau   beau   peau   os   veau   seau   au   dos

7. Entoure les lettres qui représentent le son **o**.

Mon père prépare une compote.

Il lui faut des pommes, un peu
d'eau, une casserole et un couteau.

Mon père pèle les pommes,
il leur enlève la peau. Il les
met dans la casserole avec
de l'eau.

Il ajoute un peu de sucre.
Il met la casserole sur le feu.

J'emporterai de la compote
à l'école. Youpi !

8. Voici des parties d'alphabets incomplets. Saurais-tu les compléter ? Attention ! Il faut parfois écrire des lettres majuscules.

A ⎯ C D E ⎯ G H ⎯ J K ⎯ ⎯ N ⎯.

M ⎯ ⎯ ⎯ Q R S ⎯ ⎯ V ⎯ ⎯.

c d ⎯ ⎯ g ⎯ ⎯ ⎯ k l ⎯ ⎯ ⎯ ⎯ ⎯ q r.

9. Récite à nouveau l'alphabet : a b c d e f g h i j **k**...

Lis les mots. Entoure ceux qui contiennent la lettre **k**.

camion   karaté

cage   haricot

Dominik   capot

kiwi   koala

képi

Continuons la récitation : l m **n** o p q **r** s t u v w x y z.

Connais-tu les deux lettres en caractères gras ?

10. Écris de ta plus belle écriture une ligne de **n** et une ligne de **r**.

n _____

r _____

11. Utilise le **n** ou le **r** pour compléter les mots suivants.

couleu___   ca___otte   domi___o

moi___eau   tau___eau   ba___ane

___ideau   déjeu___er   ja___din   fe___être

12. Colorie en bleu tous les **n**.

n	m	r	w	u	n	u	n	v	n	w	u	n	m

FRANÇAIS

Notions révisées

- Les graphies du son è
- Les consonnes *c* et *g*
- La définition d'un mot

ATTENTES DE FIN DE CYCLE	STRATÉGIES
Connaître l'orthographe avec le son è.	Effectuer des exercices de lecture et d'écriture avec les différentes graphies du son è.
Comprendre un texte.	Répondre à des questions sur un poème.
Comprendre un mot.	Relier des mots à leur définition.
S'exercer à lire et à écrire.	

CONSEIL PRATIQUE

Pour bien lire un mot comportant un son composé de deux lettres et plus (ex.: baleine), il faut que l'enfant lise le mot globalement plutôt que de le segmenter en syllabes. Pour maîtriser l'orthographe de ces mots, rien ne vaut une bonne dictée.

La pêche à la baleine

À la pêche à la baleine,
à la pêche à la baleine,
disait le père d'une voix courroucée*
à son fils Prosper,
sous l'armoire allongé,
à la pêche à la baleine,
à la pêche à la baleine,
tu ne veux pas aller,
et pourquoi donc ?
Et pourquoi donc que j'irais
pêcher une bête qui ne m'a
rien fait, papa ?

                            Jacques PRÉVERT
Paroles, p. 20, Éd. Gallimard, 1949.
Courroucée : irritée

> **T R U C**
>
> *Vous pouvez chercher la définition d'un mot dans le dictionnaire. Vous démontrez ainsi son utilité.*

1. **Raconte le poème dans tes propres mots. Réponds aux questions suivantes.**

   Qui ne veut pas aller à la chasse à la baleine ?

   C'est ⸻⸻⸻⸻ .

   Où se trouve Prosper ? Il est ⸻⸻ .

   Pourquoi le fils Prosper ne veut-il pas aller à la

   pêche à la baleine ? ⸻⸻⸻

2. Relis attentivement les mots suivants, puis copie-les.

pêche   baleine   père   laine

_____ _____ _____ _____
_____ _____ _____ _____

3. Lis attentivement les mots suivants. Entoure ceux dont le son è s'écrit ⓔ. Souligne ceux dont le son è s'écrit <u>ai</u>.

lèche	baleine	reine
neige	vipère	maison
laine	tête	beige
faire	rêve	mère
marraine	même	pêche
poème	maire	très
bedaine	fenêtre	aide
bête	élève	laide

4. Relie la définition au mot approprié.

1. sève
2. rêve
3. liège
4. enneigé
5. arrêt

a. Avec moi, on fait des bouchons.
b. Couvert de neige.
c. Grâce à moi, on voit à l'extérieur.
d. Je coule à l'intérieur des plantes.

e. Avoir un gros chagrin c'est avoir de la...

6. peine   f. C'est la nuit que j'arrive.

7. fenêtre   g. Je me trouve au coin de plusieurs rues.

5. La lettre c possède deux sons : un doux et un dur.

c + a = dur   c + o = dur

camion   col

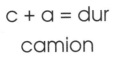   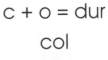

c + u = dur   c + e = doux   c + i = doux

cupidon   cerise   ciseaux

Lis les mots en t'aidant des images. Entoure les ⓒ doux. Souligne les c durs.

colle   capot   cime

puce   pièce   caisse

couteau   cachalot   école

maculé   courage   cuve   cinéma

6. La lettre **g** suit la même règle.

g + a = dur

gare

g + o = dur

gomme

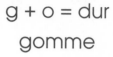

g + u = dur

légumes

g + e = doux

neige

g + i = doux

bougie

Lis les mots ci-dessous.

neige

bagarre

goglu

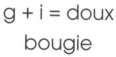

girafe

garage

bougie

solfège

légume

gigot

Margot

gîte

gâté

7. Copie les mots de l'exercice précédent. Place en haut les **g** doux, place en bas les **g** durs. Attention ! Deux de ces mots se placent en haut **et** en bas.

g doux				
g durs				

ACTIVITÉ **6**

FRANÇAIS

Notions révisées

- L'alphabet
- La majuscule
- Le mot dans la phrase
- Le son *ch*
- Les consonnes *h* et *v*
- Les mots apparentés par le son
- Les mots de même famille

ATTENTES DE FIN DE CYCLE	STRATÉGIES
Connaître l'orthographe grammaticale avec le son *h*.	Effectuer des exercices de lecture et d'écriture avec la lettre *h*.
Comprendre un texte.	Isoler des mots dans une phrase.
Connaître le code grammatical (la majuscule).	Recopier des phrases en utilisant la majuscule.
S'exercer à lire et à écrire.	

CONSEIL PRATIQUE

Quel que soit son niveau d'apprentissage de la lecture, votre enfant tirera toujours profit que vous lui lisiez une histoire. Le moment idéal reste encore l'heure du coucher. Le fait de lire une histoire à votre enfant développe son goût pour la lecture.

1. Écris des phrases complètes en utilisant les mots ci-dessous.

Marcel   lèche   cheval   chat   fil   vache

Ensuite, copie la phrase complète.

a) Le _____ _____ le bol.

_____
_____
_____

b) La _____ et le _____ sont dans le pré.

_____
_____
_____

c) _____ achète du _____ .

_____

_____

_____

Que remarques-tu lorsque tu observes le premier mot des phrases précédentes ? Le   La   Marcel

2. Récris les mots manquants de la comptine en utilisant la majuscule à chaque début de ligne.

je te donne pour ta fête

_____ pour ta fête

un chapeau de noisettes

_____ de noisettes

un petit sac de satin

_____ de satin

pour le tenir à la main

_____ le tenir à la main

un parasol en soie blanche

_____ en soie blanche

avec des glands sur le manche

_____ des glands sur le _____

un habit doré sur tranche

_____ doré _____ tranche

des souliers couleur orange

_____ souliers couleur orange

ne les mets que le dimanche

_____ les mets que le _____

un collier, des bijoux

_____ collier, _____ bijoux

tiou !

_____ !

Max JACOB

3. Barre les mots qui n'appartiennent pas à la comptine.

chaussure	parasol	voici	habit	satin
manche	pain	donneur	rouge	chapeau

4. Lis les syllabes dans l'ordre (de gauche à droite en commençant par la première ligne), puis dans le désordre.

va	var	ul	vol
vul	el	vel	vur
ver	vi	vé	vu
vir	vè	vil	val
al	ve	vo	ol

5. Par quelle lettre débutent la plupart de ces syllabes ? _____

6. Connais-tu la lettre **v** ? Copie une ligne de **v** de ta plus belle écriture.

_____

_____

7. Voici des parties d'alphabets. Saurais-tu combler les vides ?

a __ c d __ f g h __ j k l __ n.

__ g h __ j k __ __ n __ p.

q __ __ __ __ u __ w x y __.

8. Lis... c'est étonnant !

ha = a   he = e   hé = é

hi = i   ho = o   hu = u   hè = è

9. Choisis le mot approprié selon la phrase ou l'image.

fête

Je te donne pour ta _____

bête

bateau
Un _____
chapeau

suc
Un petit _____
sac

10. Classe correctement les mots dans les deux colonnes de la page suivante.

chapeau   héron   hôpital

   hublot   cheminée   chicorée

habit   chameau   horloge

hérisson   chemise   chocolat

   harpe   halte   haltère

chaloupe   chicane

49

CH	H

11. Barre le mot qui ne fait pas partie de la même famille.

cheveu chevelu cheval	hélice héron hélicoptère	hirondelle horloge hibou
hérisson héron herbe	huit hublot huitaine	hivernal histoire hiver

12. Sépare par une barre les mots des phrases suivantes.

Lechienlècheleboldelaitetlechatleregarde.

Lechevaletlavachesontdanslepré.

Jetedonnepourtafêteunbeaucadeau.

ACTIVITÉ **7**

FRANÇAIS

Notions révisées

- Les sons *oi*, *eu*, *ou* et *gn*
- La liaison
- Les mots invariables *qui*, *jamais*, *trop* et *aussi*
- Les homonymes
- Le nombre
- Les lettres muettes

CONSEIL PRATIQUE

Il se peut qu'à un moment donné tous les sons se mélangent au moment de la lecture. Patience! Si vous persistez à faire lire votre enfant, cela finira bien par se corriger. Il est très important que votre enfant fasse ses devoirs et sa lecture régulièrement et non par à-coups. C'est en lisant régulièrement qu'il deviendra bon lecteur, mais vous le saviez déjà... S'il éprouve de la difficulté à lire dans ses cahiers d'exercices, faites-lui constater que le monde extérieur (vitrines, journaux, encarts publicitaires) utilise ce même code qui lui pose tant de problèmes, mais que beaucoup de gens semblent connaître et trouver fort pratique.

ATTENTES DE FIN DE CYCLE	STRATÉGIES
Comprendre la phrase.	Utiliser le mot-outil approprié dans une phrase.
Comprendre un texte.	Répondre à des questions sur le texte.
Connaître le code grammatical (le nombre).	Trouver le pluriel.
Compléter des mots de même famille.	
S'exercer à lire et à écrire.	Identifier les mots comportant les sons **oi**, **eu**, **ou** et **gn**.

ACTIVITÉ 7

1. Lis à haute voix les groupes nominaux suivants et fais les liaisons indiquées.

les amis les arbres les herbes

une hutte un ordre les hiboux

mes amis  une horloge

un héros un âne

2. Lis les exemples et termine l'exercice.

Je vois un arbre.　　　Je vois **des arbres**.

Je vois l'oie.　　　Je vois **les oies**.

a) Je parle à un enfant.

Je parle à ___ ___ .

b) Je prends un outil.

Je prends ___ ___ .

c) Je lis une histoire.

   Je lis_____ _____.

d) Les singes sont au zoo.

   _____ _____ est au zoo.

e) Je vois un ami.

   Je vois_____ _____.

f) L'abeille est dans la ruche.

   _____ _____ _____ dans la ruche.

3. Lis la comptine et réponds aux questions.

Il était une fois
Une marchande de foie
Qui vendait du foie
Dans la ville de Foix
Elle se dit : « ma foi !
C'est la dernière fois
Que je vends du foie
Dans la ville de Foix. »

a) Que vendait la marchande ?

_____

_____

b) Dans quelle ville était la marchande ?

_____

_____

c) Selon toi, pourquoi dit-elle que c'est la dernière fois qu'elle vend du foie ?

d) De combien de façons écrit-on le son **foi** dans
la comptine ? Écris-les.

4. Lis les mots suivants et entoure les lettres **oi**.

mouchoir	armoire	foire
roi	joie	pouvoir
miroir	vouloir	savoir
tiroir	voile	poire

Souligne tous les mots où tu entends le son **oi**
comme dans **fois**.

poule	poil	minois
roue	doigt	housse
poisson	soif	bois
jeton	toile	reine
soie	fou	camion
pou	loi	tousse

5. Dans l'exercice précédent, trouve 3 mots dont les lettres finales sont muettes.

_____   _____   _____

_____   _____   _____

6. Entoure les lettres qui se prononcent **ou** comme dans **mou**.

Souligne les mots où tu entends le son **eu** comme dans **peu**.

Une poule sur un mur
Qui picore de l'azur.
Picoti picota.

Une poule au bec de flûte
Qui picore des minutes
Et les amours que vous eûtes.

Une poule au bec de feu
Qui picore gens et dieux
Cheveu, cheveu par cheveu.

7. Copie les mots suivants dans la colonne appropriée du tableau de la page suivante.

cheveu   sourdine   peureux

oie   deux   dégouline

partout   râpeux   proie

bouton   heureux   tambour

cantaloup   pois   trois

vénéneux   poireau   poivre

OI	OU	EU

8. Observe attentivement l'exemple et continue l'exercice.

Exemple : heureuse ——→ heureux

peureuse ——→ peur _____

dangereuse ——→ danger _____

joyeuse ——→ joy _____

grincheuse ——→ grinch _____

valeureuse ——→ valeur _____

paresseuse ——→ paress _____

9. Lis les mots. Trouve-leur une place dans chaque phrase.

égratignures   compagnon

grignote   magnifique

champignons   grognon   agneau

a) Le petit _____ est blessé.

b) Francis est mon _____ de jeu préféré.

c) Le soleil brille, il fait un temps _____.

d) Il ne faut pas déranger le chat Julius, il est

_____ ce matin.

e) J'aime manger des _____ crus.

f) La souris _____ un fromage.

g) Je suis allé dans les bois et je me suis fait des

_____.

10. Utilise le mot approprié.

qui

a) C'est Louis _____ habite à la campagne.

voici

b) Chez grand-père, il y a un chien. J'en ai un

toujours

_____ chez moi.

aussi

                                                    aussi

c) Ma baignoire a débordé, j'avais mis _____
   d'eau.
                                                    trop

jamais

d) Francis n'a _____ vu de châtaignes.

trop

8

Notions révisées

- L'alphabet
- Les consonnes *z* et *j*
- Les voyelles nasales *an, en, in, on, un*
- Le nombre
- Les syllabes
- Les syllabes complexes

ATTENTES DE FIN DE CYCLE	STRATÉGIES
Connaître l'orthographe grammaticale des mots avec une syllabe nasale placée devant un *b* ou un *p*.	Identifier les mots avec les sons **an, en, in, on, un**.
Comprendre des phrases.	Compléter des phrases.
Connaître le code grammatical (le nombre).	Trouver le pluriel.
S'exercer à lire et à écrire.	Reconnaître des mots.

CONSEIL PRATIQUE

Si votre enfant semble manquer d'entrain, soyez patient tout en étant ferme, et exigez de lui uniquement ce qu'il est capable de donner. Plus tard, lorsqu'il aura retrouvé l'envie de travailler, les efforts fournis donneront de meilleurs résultats. S'il est en forme, n'hésitez pas à faire de la révision avec tout ce qui vous tombe sous la main, journaux à découper, petites notes à lire au réveil, etc.

GARE

1. Écris l'alphabet en entier.

Entoure les lettres **j** et **z**.

2. Complète les mots suivants en écrivant **j** ou **z**.

___ ardin   bi ___ arre   dé ___ à

___ èbre   ___ ambon   ___ ulie

___ igzag   ___ ambe   ga ___

___ ungle   ___ ibeline   ___ onquille

___ éro   ___ aune   ___ uin

ga ___ elle   ___ udo   ___ oo

3. Voici le son **an** comme dans mam**an**. Il s'écrit de plusieurs façons : **an**, **am**, **en**, **em**. Lis les mots au son **an**. Utilise l'un de ces mots pour compléter les phrases de la page suivante.

maman   chenapan   septembre

mandarine   lampe   ruban

enfin   enveloppe   tempête

silence   fente   lente

61

a) C'est au mois de _____ que l'automne commence.

b) Le chenapan a volé la _____ .

c) Marie a passé un _____ dans sa chevelure.

d) Allume la _____ , s'il te plaît.

e) Il neige, on annonce une grosse _____ .

4. Voici le son **in** comme dans mal**in**. Il s'écrit aussi de plusieurs autres façons : **in**, **ein**, **ain**, **im**. Lis attentivement les mots suivants.

impatience   jardin   copain

romarin   serein   plein

poussin   main   gingembre

grain   singe   dinde

demain   maintenant   mandarin

pain   pimpant   peintre

5. Voici le son **on** comme dans **bon**. Il s'écrit de deux façons : **on** et **om**. Lis attentivement les mots suivants.

savon	ronde	blonde	gronde
dragon	bâton	pantalon	bombe
faucon	saison	maison	pompe
balcon	jupon	sonder	rotonde

6. En t'aidant des mots de l'exercice précédent, écris au pluriel les mots qui commencent par les lettres suivantes.

bo _____   d _____

f _____   sav _____

j _____   po _____

7. Lis les mots suivants, puis sépare les syllabes.

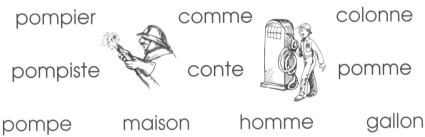

pompier	comme	colonne
pompiste	conte	pomme
pompe	maison	homme	gallon

8. Dans le tableau de la page suivante, écris dans la colonne de gauche les mots où le son **on** se prononce comme dans **rond**. Dans la colonne de droite, écris les mots où le son est différent.

ON	SON DIFFÉRENT

9. Observe attentivement les mots suivants.

géant   ensemble   dans

Souligne le son en des mots de la phrase suivante.

Un éléphant blanc entre dans le manège en trottinant.

Combien en as-tu trouvé ? _____

10. **Parmi les mots suivants, copie sur une feuille ceux qui contiennent le son an.**

enfant   jaune   manger   ballon

danseur   chaude   marmite — maman

dent   géant   friandise   framboise

pantalon   volant   blanc   rivage

lent   pomme   tempe   grande

11. Lis la phrase suivante. Souligne les mots qui ont le son un.

Lundi, j'ai pris du parfum dans le flacon brun.

12. Compose un mot avec les lettres de chaque case.

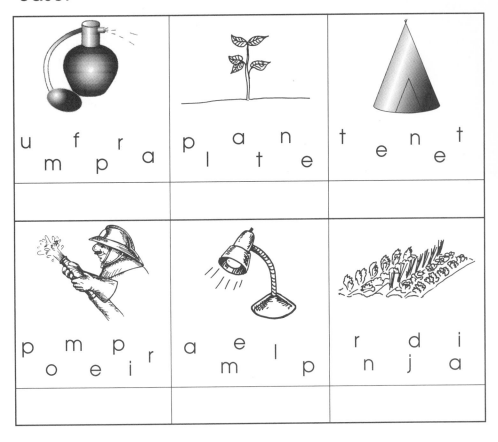

13. Complète les phrases suivantes à l'aide des mots que voici.

porte	mur	forte

arbres	canard

a) L'automne, les _____ sont rouges.

b) Mon amie Magali est _____ en calcul mental.

c) Ferme la _____, il fait froid.

d) Nous avons vu un _____ à la ferme.

e) Il y a une plante qui grimpe sur le _____ de l'école.

14. Lis le texte qui suit.

Ma bonne tante Francine voulait prendre le train pour Trois-Rivières. Elle a fait sa valise très tôt ce matin, puis elle a mangé des prunes et enfin elle est partie. Dehors, il y avait du givre et comme il faisait froid, elle a enfilé sa veste grise. À son arrivée à la gare, le train était déjà parti. Pauvre tante Francine ! Elle n'avait pas consulté la grille d'horaires des trains.

Repère dans le texte les mots ci-dessous et souligne-les.

train	prunes	pauvre	grille	givre
très	froid	grise	Francine	prendre

15. Devinettes :

a) **Quel animal bizarre a des rayures noires et blanches ?**

b) **Quelle est la couleur obtenue lorsque tu mélanges le noir et le blanc ?**

c) **Quel est le nombre qui vient après deux ?**

d) **Qui n'est pas petit ?**

e) **Qui a toujours froid ?**

f) **Quelle personne répare les circuits électriques des bâtiments ?**

FRANÇAIS

Notions révisées

- Le classement par ordre alphabétique
- Les sons *euil, ouil, ail, ille*
- La construction de phrase
- Le genre

ATTENTES DE FIN DE CYCLE	STRATÉGIES
Connaître l'ordre alphabétique.	Trouver la lettre qui vient *avant*, *après* ou *entre*.
Connaître l'orthographe grammaticale des sons *euil, ouil, ail* qui doublent le *l* au féminin.	Faire une petite dictée de mots avec support d'images.
Connaître le genre (masculin ou féminin).	Écrire *le* ou *la* devant les mots.
S'exercer à lire et à écrire.	
Composer des phrases.	

CONSEIL PRATIQUE

Les enfants pour qui le français écrit ou lu est du *chinois* auraient avantage à écrire les mots qu'ils auront en dictée le lendemain. Si en plus d'épeler un mot, votre enfant le lit et l'écrit (le photographie), il accumule les chances de réussir la dictée du lendemain. S'il rechigne ou ne veut rien entendre, montrez un peu de fermeté, car c'est pour son bien.

1. Réponds aux questions sur l'alphabet.

Quelle lettre vient après ?	Quelle lettre vient avant ?	Quelle lettre se situe au milieu ?
b ___	___ d	g ___ i
f ___	___ b	a ___ c
k ___	___ m	t ___ v
m ___	___ q	k ___ m
g ___	___ s	q ___ s
u ___	___ y	x ___ z

2. Lis attentivement les mots suivants.

soleil   vitrail   chevreuil   orteil

bétail   cerfeuil   sommeil   fauteuil

réveil   ail   écureuil   fenouil

bouteille   écaille   feuille   fille

billet   barbouillé   chenille   nouille

fouille   corbeille   caille   feuillage

coquillage   gargouille   groseille   maillot

3. Complète les mots suivants en écrivant une lettre par trait.

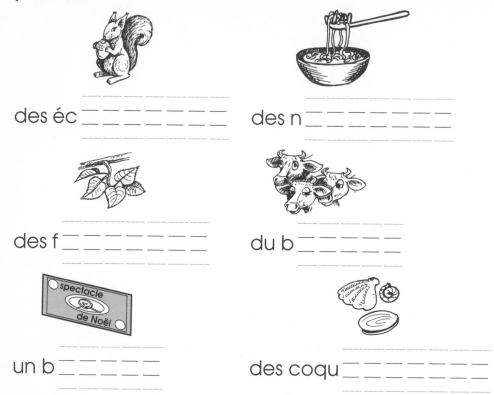

des éc _ _ _ _ _ _ _   des n _ _ _ _ _ _ _

des f _ _ _ _ _ _ _   du b _ _ _ _ _

un b _ _ _ _ _   des coqu _ _ _ _ _ _ _

4. Lis les sons suivants : ail, eil, ille, ouille, euil. Inscris dans la bulle celui qui est utilisé pour chaque mot.

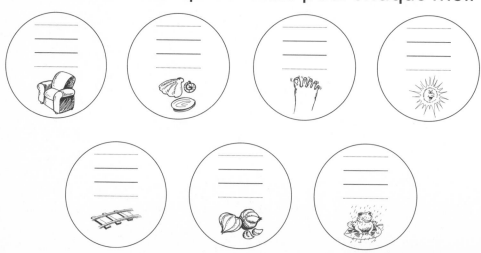

5. Complète les phrases avec les mots suivants.

quilles	groseilles	écailles	oreiller	éveille

a) Je raffole de la gelée de _____.

b) Le matin, je m' _____ à 7 heures.

c) L' _____ de mon lit est rectangu-

laire.

d) Marie joue aux _____ avec Rémi.

e) Les serpents sont couverts d' _____.

6. Écris **le** ou **la** devant chaque mot. Relie ce mot
au dessin correspondant.

_____ quille

_____ corbeille

_____ fauteuil

_____ chenille

_____ bille

_____ bouteille

7. Dessine...

une bouteille

un papillon

de l'ail

le soleil

8. Lis l'histoire.

Le brouillard recouvre la ville
et lui donne un air mystérieux.
On dirait un immense nuage.
Mireille joue au détective
et ramasse des objets qu'elle
trouve pour faire une
enquête. Aujourd'hui, elle

a récolté une médaille, un billet de loto et une grenouille miniature. La médaille, elle le sait, est à son père qui fait de la course. Le billet, elle pense qu'il appartient au voisin d'en face parce qu'il achète souvent des billets de loto. Ce qui lui fait vraiment plaisir, c'est d'avoir retrouvé la grenouille miniature qu'elle avait perdue.

9. Réponds par **vrai** ou **faux**.

a) Le brouillard se lève. _____

b) Mireille joue au détective. _____

c) Elle trouve une médaille, un billet de loto et une grenouille miniature. _____

d) Le billet appartient à son père. _____

e) Son voisin achète souvent des billets de loto. _____

f) La grenouille est à Mireille. _____

10. Colorie en jaune l'encadré qui raconte l'histoire.

> La ville est sous un nuage de brouillard. Mireille joue à ramasser des objets. Elle a trouvé trois objets et elle devine à qui ils appartiennent.

> Le brouillard se lève. Murielle joue au détective. Elle trouve des objets : une médaille, un billet de 10 dollars et un coquillage. Elle devine à qui sont ces objets.

11. Relis l'histoire, puis barre les intrus dans le texte ci-dessous.

Le brouillard recouvre entièrement la ville et lui donne un petit air mystérieux. On dirait un beau nuage. Mireille joue au détective et ramasse tout ce qu'elle trouve pour faire une fête. Hier, elle a récolté une bouteille, une bille et une grenouille rouillée. La médaille, elle le sait, est à son cousin qui fait de la course. Le billet, elle pense bien qu'il appartient au voisin d'à côté parce qu'il achète souvent des billets de loto. Ce qui lui fait un peu plaisir, c'est d'avoir trouvé la grenouille miniature qu'elle avait donnée.

12. Compose deux phrases qui décrivent ton jouet favori.

_____

_____

_____

_____

_____

10

FRANÇAIS

Notions révisées

- Les sons *gu* et *qu*
- Les différentes prononciations de la lettre *x*
- Les synonymes
- La phrase

CONSEIL PRATIQUE

L'année scolaire n'est pas encore terminée, et il se peut que la maisonnée soit un peu essoufflée par le rythme qu'impose la première année. Il faut tenir jusqu'à la fin et même persévérer au-delà si vous voulez préserver les acquis de votre enfant. Comme cela durera quelques années encore, il ne faut pas qu'un membre de l'équipe se décourage. La persévérance est la clé du succès. Vous méritez tout de même des vacances, mais il ne faut pas qu'elles soient trop longues afin que les connaissances nouvelles de votre enfant ne tombent pas dans l'oubli. Revenez à la charge à l'occasion, faites-le réfléchir, lire et écrire, discutez avec lui de la prochaine année et du plaisir que vous avez eu à travailler ensemble...

ATTENTES DE FIN DE CYCLE	STRATÉGIES
Connaître l'orthographe grammaticale des mots avec *x*.	
Discriminer des éléments sonores.	Reconnaître des sons.
Reconnaître des synonymes.	Trouver un mot de même signification qu'un autre.
S'exercer à lire et à écrire.	Rédiger une composition.

1. Entoure les mots où tu lis **c** = **k**. Souligne ceux où
   tu lis **qu** = **k**.

camion   guitare   taquine   figue

cirque   cerise   couteau   école

magique   queue   tigre   faucon

raquette   barque   confiture   biquette

Combien de mots te reste-t-il ? _____

2. Écris **gu** ou **qu** afin de compléter ces mots.

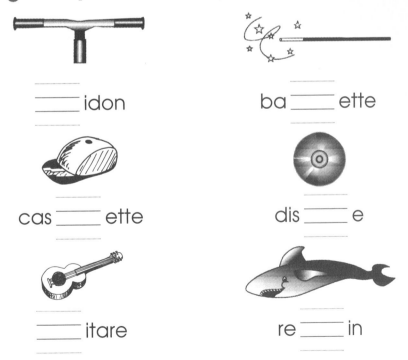

_____idon   ba_____ette

cas_____ette   dis_____e

_____itare   re_____in

3. Lis les phrases suivantesl Complète-les si tu le peux.

C'est la mère Michel _____

a perdu son _____.

_____ crie par la fenêtre

à _____ le lui rendra.

C'est le compère Lustucru

_____ lui a répondu :

« Allez ! la mère Michel,

votre _____ n'est pas _____. »

4. X est une lettre étrange. Elle change de son sans en avertir personne.

Observe attentivement les mots suivants.

xylophone
x = gz

six
x = s

klaxon
x = ks

dixième
x = z

peureux
x = ∅

Ensuite, lis ces mots en respectant le son indiqué.

x = s : six - dix - soixante

x = z : deuxième - sixième - dixième

x = gz : examen - examiner - exemple - exode
- oxygène

x = ks : taxi - taxe - extraordinaire - flexible
- extensible - vexé

x = ∅ : peureux, heureux, valeureux.

5. Recopie les mots suivants dans la colonne
appropriée.

boxe   joyeux   examiner   deux

index   dix **10** dixième   exploser

exercice   six   examen klaxon

frileux   exact   excuses   texte

x = s	x = z	x = gz	x = ks	x = ∅

6. Relie entre eux les mots identiques.

klaxon •   • **excuse**

heureux •   • excellent

excuse •   • textile

excellent •   • **klaxon**

textile •   • **HEUREUX**

7. Dans les phrases suivantes, remplace les mots en italique par les mots ci-dessous. Recopie ensuite la phrase entière.

un taxi	excellent	vexé	heureux

Charles est *content* d'avoir une nouvelle bicyclette.
_____
_____

Xavier a appelé *une voiture* pour aller au cinéma.
_____
_____
_____

Nous avons pris un *très bon* repas à la maison.
_____
_____

On a joué un bon tour à Guy et il s'est *fâché*.
_____
_____

8. Xavier voudrait six nouvelles voitures pour sa collection, mais il a fait des bêtises. Comme il ne s'est pas excusé, sa maman refuse d'acheter les voitures. Il réfléchit à ce qu'il pourrait faire pour réparer sa faute. Soudain, il trouve. Il va écrire un court texte pour s'excuser.

Chère maman,

Je m'excuse d'avoir cassé le xylophone de Félix. Je t'assure que je ne l'ai pas fait exprès. Je sais que mon frère est vexé parce qu'il espérait des excuses plus rapides. Voudrais-tu lui expliquer que c'est difficile de s'excuser ?

Xavier

9. Relie les mots entre eux en suivant l'ordre du texte.

six   Félix

bêtises   texte   xylophone

exprès   s'excuser

10. Barre les mots qui n'appartiennent pas au texte.

dix	blague	texte	vexé
six	bêtises	excuses	klaxon
huit	sottise	Félix	taxi

11. Entoure la fleur qui est à côté du véritable texte de Xavier.

Je t'excuse d'avoir cassé le taxi de Félix. Je suis sûre que je l'ai fait exprès. Je sais que mon frère est fâché parce qu'il voulait des excuses rapides. Voudrais-tu lui expliquer que ce n'est pas facile ?

Xaviera

Je m'excuse d'avoir brisé le xylophone de Félix. Je t'assure que je ne l'ai pas fait exprès. Je sais que mon cousin est vexé parce qu'il voulait des excuses rapides. Pourrais-tu lui dire que c'est difficile ?

Xavier

Je m'excuse d'avoir cassé le xylophone de Félix. Je t'assure que je ne l'ai pas fait exprès. Je sais que mon frère est vexé parce qu'il espérait des excuses plus rapides. Voudrais-tu lui expliquer que c'est difficile de s'excuser ?

Xavier

CORRIGÉ

FRANÇAIS

Activité 1

2. a-chat, e-, i-livre, o-dos, u-ruche, é-fée, è-fève.

9. chat, girafe, papillon.

10. jupe, cube, ceinture, plume.

11. allumette, autruche, tortue.

13. can**o**t, b**o**bine, perr**o**quet, car**o**tte.

14. **ta**ble, **ca**mion, tom**a**te.

15. casquette, livre, poupée, chat, toupie, nid, canot, tortue, bobine, plume, papillon, cube, perroquet, soldat, jupe.

Activité 2

2. canot, tortue, carotte, pupitre, girafe.

4. la première lettre : b.

5. une bobine, un ballon, un bouton, une bûche, une banane, un bateau, une brebis, un balai, une balle, une bougie.

6. la bobine, le ballon, le bouton, la bûche, la banane, le bateau, la brebis, le balai, la balle, la bougie.

11. é/pin/gle, pin/ce, pi/que, at/tra/pe.

12. une = 1, aiguille = 2, je = 3, te = 4, pique = 5.

13. Je t'attrappe : 3 mots.

14. mots entourés : brebis, hibou, abeille ; non entouré : cheval.

16. a) cheval, b) abeille, c) hibou, d) brebis.

18. macaroni, pomme, matin, ami.

19. a) pomme, b) chat, c) ami, d) macaronis, e) matin, f) vache.

21. **po**mme, **ma**man, **ba**teau, **bo**bine, **pu**pitre.

22. timbre, table, lunettes, tomate.

23. tomate, pupitre, patate, tortue, tapis.

24. table, toupie, cravate, patin, tomate.

25. pant**a**lon, pét**a**le, **ta**sse, **té**léphone, **ta**pis, guit**a**re.

Activité 3

1. domino, pédale, dé, dîner.

3. bonbon, dinde, cousines, dîner, pincée.

4. un dindon, un cheval, une dinde, une brebis, une tortue, un papillon.

5. dindon, cheval, papillon.

6. fée, carafe, farine.

9. lion, livre, lampe, lapin, losange, 3 mots ne sont pas encerclés.

10. cheval, lit, balle, bulle, pédale, allumette, table, blanc, plume, bleu.

11. un cheval, un lit, une balle, une bulle, une pédale, une allumette, une table, une plume.

12. a) de la tortue ; b) de la grenouille.

13. mouille, fée, tortue, farine, balle, bougie, fête.

14. a) pa**pill**on, b) **li**mace, c) **far**ine, d) pé**da**le.

15. a, b, d, e, i, l, o, u.

16. 5 mots.

17. a, b, c, e, f, i, l, o, p, s, u, z.

18. u, s.

19. mots féminins : salle, sève, salade, soupape, soie ; mots masculins : silo, sofa, sel, sabot, soja, sol, sud, souper, sourire, soulier.

20. sol, selle, salle.

Activité 4

1. a) mot- Ma, morte-Je, feu-Ouvre ; b) Pierrot, Dieu ; c) 4 phrases.

2. Au clair de la lune mon ami Pierrot
   prête-moi ta plume pour écrire un mot.
   Ma chandelle est morte. Je n'ai plus de feu.
   Ouvre-moi ta porte, pour l'amour de Dieu.

3. bravo, jaune, chapeau, tortue.

5. **o :** pomme, sabot, domino, pot, auto ; **au :** artichaut, landau, guimauve, auto, autruche ; **eau :** oiseau, escabeau, ciseau, rideau, marteau.

7. compote, faut, pommes, eau, casserole, couteau, pommes, peau, casserole, eau, casserole, emporterai, compote, école.

8. B, F, I, L, M, O.
   N, O, P, T, U, W, X.
   e, f, h, i, j, m, n, o, p.

9. karaté, Dominik, kiwi, koala, képi.

11. couleu**r**, carotte, dom**in**o, moi**n**eau, taureau, ba**n**ane, **r**ideau, déjeune**r**, jardin, fe**n**être.

Activité 5

1. C'est le fils Prosper.

   Il est sous l'armoire allongé.

   Parce que la baleine ne lui a rien fait.

3. è = è : lèche, vipère, mère, poème, très, élève ;
   è = ai : maison, laine, faire, marraine, maire, bedaine, aide, laide.

4. 1-d, 2-f, 3-a, 4-b, 5-g, 6-e, 7-c.

5. mots entourés : cime, puce, pièce, cinéma ;
   mots soulignés : colle, capot, caisse, couteau, cachalot, école, maculé, courage, cuve.

7. g doux : neige, girafe, gara**ge**, bougie, solfège, **g**igot, gîte ;
   g durs : bagarre, goglu, **g**arage, légume, gi**g**ot, Margot, gâté.

Activité 6

1. a) chat, lèche, b) vache, cheval, c) Marcel, fil.

2. Je te donne, Un chapeau, Un petit sac, Pour, Un parasol, Avec – manche, Un habit – sur, Des, Ne – dimanche, Un – des, Tiou.

3. Chaussure, voici, pain, donneur, rouge.

5. v.

7. b, e, i, m ;   f, i, l, m, o ;   r, s, t, v, z.

9. fête, chapeau, sac.

10. ch : chapeau, cheminée, chicorée, chameau, chemise, chocolat, chaloupe, chicane ;
    h : héron, hôpital, hublot, habit, horloge, hérisson, harpe, halte, haltère.

11. cheval, héron, horloge, herbe, hublot, histoire.

12. Le chien lèche le bol de lait et le chat le regarde.
    Le cheval et la vache sont dans le pré.
    Je te donne pour ta fête un beau cadeau.

Activité 7

2. a) des enfants, b) des outils, c) des histoires, d) Le singe e) des amis, f) Les abeilles sont.

3. a) du foie, b) la ville de Foix, c) parce qu'elle en vend peu, d) 4 : fois, foie, Foix, foi.

4. poil, minois, doigt, poisson, soif, bois, toile, soie, loi.

5. tousse, poule, minois, roue, doigt, housse, bois, toile, reine, soie.

6. ou : poule, amours, vous ;
   eu : feu, dieux, cheveu.

7. oi : oie, proie, pois, trois, poireau, poivre ; ou : sourdine, dégouline, partout, bouton, tambour, cantaloup ; eu : cheveu, peureux, deux, râpeux, heureux, vénéneux.

8. peureux, dangereux, joyeux, grincheux, valeureux, paresseux.

9. a) agneau, b) compagnon, c) magnifique, d) grognon, e) champignons, f) grignote, g) égratignures.

10. a) qui, b) aussi, c) trop, d) jamais.

Activité 8

1. a b c d e f g h i j k l m n o p q r s t u v w x y z.

2. jardin, bizarre, déjà, zèbre, jambon, Julie, zigzag, jambe, gaz, jungle, zibeline, jonquille, zéro, jaune, juin, gazelle, judo, zoo.

3. a) septembre, b) mandarine, c) ruban, d) lampe, e) tempête.

6. bombes, dragons, faucons, savons, jupons, pompes.

7. pom/pier, com/me, co/lon/ne, pom/pis/te, con/te, pom/me, pom/pe, mai/son, hom/me, gal/lon.

8. on : pompier, pompiste, conte, pompe, maison, gallon ; son différent : comme, colonne, pomme, homme.

9. éléph**an**t, bl**an**c, **en**tre, d**an**s, **en**, trottin**an**t, six.

10. an : enfant, manger, danseur, maman, dent, géant, friandise, framboise, pantalon, volant, blanc, lent, tempe, grande.

11. un : lundi, parfum, brun.

12. parfum, plante, tente, pompier, lampe, jardin.

13. a) arbres, b) forte, c) porte, d) canard, e) mur.

15. a) zèbre, b) gris, c) trois, d) grand, e) frileux, f) électricien.

Activité 9

1. après : c, g, l, n, h, v ; avant : c, a, l, p, r, x ; entre : h, b, u, l, r, y.

3. écureuils, nouilles, feuilles, bétail, billet, coquillages.

4. faut**euil**, coqu**ill**ages, ort**eil**s, sol**eil**, r**ail**, **ail**, gren**ouille**.

5. a) groseilles, b) éveille, c) oreiller, d) quilles, e) écailles.

6. la quille, la corbeille, le fauteuil, la chenille, la bille, la bouteille.

9. a) faux, b) vrai, c) vrai, d) faux, e) vrai, f) vrai.

10. premier encadré.

11. entièrement, petit, beau, tout ce, fête, Hier, bouteille, une bille, rouillée, cousin, bien, d'à côté, un peu, trouvé, donnée.

Activité 10

1. mots entourés : camion, couteau, école, faucon, confiture ;
   mots soulignés : taquine, cirque, magique, queue, raquette, barque, biquette ;
   mots intacts : guitare, figue, cerise, tigre ; 4.

2. guidon, baguette, casquette, disque, guitare, requin.

3. qui, chat, qui, qui, qui, chat, perdu.

5. x = s : dix, six ; x = z : dixième ; x = gz : examiner, exercice, examen, exact ; x = ks : boxe, index, exploser, klaxon, excuses, texte ; x = ∅ : joyeux, deux, frileux.

7. content-heureux, une voiture-un taxi, très bon-excellent, fâché-vexé.

9. six, bêtises, texte, s'excuser, xylophone, Félix, exprès.

10. mots hors texte : dix, huit, blague, sottise, klaxon, taxi.

11. la tulipe.

LEXIQUE

FRANÇAIS

Code grammatical : ensemble des règles d'écriture, de formation de mots et de formation de phrases qui régissent le français.

Consigne (affirmative et négative) : directive donnée de façon affirmative ou négative sur ce qui doit être effectué.

Consonne : lettre de l'alphabet (b, c, d, f, g, h, j, k, l, m, n, p, q, r, s, t, v, w, x, z) ; toutes les lettres qui ne sont pas des voyelles.

Définition : énoncé par lequel on explique un mot.

Discrimination : action d'isoler, de reconnaître des mots dans la phrase, des sons dans le mot.

Genre : convention grammaticale fondée sur la distinction du féminin (la, une) et du masculin (le, un).

Globale (lecture) : méthode de lecture faisant appel à la mémorisation des mots ; l'enfant *photographie* certains mots qu'il *lit* plus facilement par la suite.

Graphie : représentation écrite d'un mot.

Groupe nominal : groupe de mots organisés autour d'un nom noyau. Exemple : Le cycliste est rapide.

Groupe verbal : verbe conjugué ou groupe de mots dont le noyau est un verbe conjugué. Exemple : Je lis la phrase.

Homonymie : mots dont l'écriture et la lecture se confondent.

Liaison : prononciation de la dernière ou avant-dernière consonne d'un mot liée à la voyelle initiale du mot suivant.

Liens grammaticaux : ce qui établit un rapport logique. Exemple : le pluriel ou le féminin de certains mots sont régis par des mots de même nombre ou même genre.

Mot-outil : petit mot appris tel quel et qui sert à beaucoup d'occasions.

Nombre : le singulier (une unité) et le pluriel (plusieurs unités) sont les deux nombres du français.

Orthographe grammaticale : la façon exacte d'écrire un mot.

Paraphraser : dire ou expliquer en d'autres mots.

Phrase : unité de sens ; en français la phrase commence par une lettre majuscule et se termine par un point.

Pluriel : catégorie grammaticale utilisée pour indiquer un nombre supérieur à un.

Ponctuation : signes graphiques (point, virgule, tiret) qui séparent la phrase en unités logiques.

Singulier : catégorie grammaticale utilisée pour indiquer un seul objet, un seul être.

Sons : unité de mot distinctif composé d'une ou de plusieurs voyelles.

Synonymes : mots ayant à peu près le même sens. Exemple : canapé et sofa.

Syllabe : unité de son groupant des consonnes et/ou des voyelles.

Syllabe complexe : unité de son utilisant deux consonnes en début de syllabe (ex. : bra).

Syllabe inverse : unité de son utilisant la séquense voyelle-consonne ou consonne-voyelle-consonne (ex. : il, vil).

Syntaxique (élément) : chacun des mots qui composent une phrase.

Voyelle : lettre de l'alphabet (a, e, i, o, u, y) ; toutes les lettres qui ne sont pas des consonnes.

Voyelle nasale : voyelle liée à un **n** ou à un **m** et possédant un son distinct (an, en, in, on, un).

Achevé d'imprimer au Canada
en juin 2006